Les animaux de Lou

N'aie pas peur, Petit Koala !

D0274838

Des romans à lire à deux, pour les premiers pas en lecture !

La collection Premières Lectures accompagne les enfants qui apprennent à lire. Chaque roman peut être lu à deux voix : l'enfant lit les bulles et un lecteur confirmé lit le reste de l'histoire.

Cette collection a trois niveaux :

JE DÉCHIFFRE les bulles peuvent être lues par l'enfant qui débute en lecture.

JE COMMENCE À LIRE les bulles peuvent être lues par l'enfant qui sait lire les mots simples.

JE LIS COMME UN GRAND les bulles peuvent être lues par l'enfant qui sait lire tous les mots.

Quand l'enfant sait lire seul, il peut lire les romans en entier, comme un grand !

Un concept original **+** des histoires simples **+** des sujets qui passionnent les enfants **+** des illustrations : **des romans parfaits pour débuter en lecture avec plaisir !**

Cette histoire a été testée par Francine Euli, enseignante, et des enfants de CP.

L'orthographe rectifiée, qui fait désormais référence dans les programmes scolaires, est appliquée dans cet ouvrage.

© 2011 Éditions NATHAN, SEJER, 25, avenue Pierre-de-Coubertin, 75013 Paris
Loi n° 49-956 du 16 juillet 1949 sur les publications destinées à la jeunesse,
modifiée par la loi n° 2011-525 du 17 mai 2011.
ISBN : 978-2-09-253039-9

N'aie pas peur, Petit Koala !

TEXTE DE MYMI DOINET
ILLUSTRÉ PAR MÉLANIE ALLAG

Nathan

Lou accompagne tatie Ouistiti en
Australie pour une super-mission :
elle va aider sa tante qui est
vétérinaire à soigner les animaux
dans une grande réserve !

Ce matin, à la clinique installée en pleine forêt, Lou retire de méchantes épines aux pattes d'un kangourou :

Arrête de bouger, c'est bientôt fini !

Le kangourou bondit par la fenêtre.

Lou le suit dans la forêt, et clic, clac !

Elle en profite pour photographier

les perroquets aux plumes arc-en-ciel.

Mais, à qui sont ce museau et
ces deux petits bras tout gris, coincés
sous une branche ? Lou murmure :

On dirait
une peluche !

Ce n'est pas un doudou, non!
C'est un jeune koala qui tremble.

Heureusement, Lou a le pouvoir
de comprendre les animaux :
le pauvre koala est tombé de son arbre,
il a mal partout!

Lou le soulève doucement, et
il s'accroche à elle comme un sac à dos.
Lou le rassure :

N'aie pas peur,
  Petit Koala !

Tatie Ouistiti passe une radio
à Petit Koala.

Bonne nouvelle :
rien de cassé,
pas besoin de plâtre !

Ensuite, Lou et sa tatie écoutent son cœur. Tic, tac, pof ! il bat faiblement. Petit Koala soupire :

Je n'ai pas mangé depuis cinq jours !

Lou sait ce qui est bon pour son petit protégé : il lui faut ses feuilles d'eucalyptus, un arbre qui sent le sirop contre la toux. Tatie Ouistiti lui installe une échelle au pied du tronc.

Allez, monte !

Petit Koala est lent, très lent. Il lui
faut la journée entière pour monter
aux barreaux. Quand il arrive enfin
au sommet, il est tard, la lune brille!

Petit Koala prend tout son temps
pour grignoter les feuilles tendres
au milieu des papillons de nuit.

Par la fenêtre du camping-car
de tatie Ouistiti, Lou regarde
le koala qui se régale.

Toi, tu es guéri !

Rassurée, Lou s'endort.

Le lendemain, pas de grasse matinée !
Pic, tac, pic ! les perroquets cognent
du bec à la vitre du camping-car :

Petit Koala
est en danger !

Réveillée en sursaut, tatie Ouistiti
saisit ses jumelles. Catastrophe !
en face, il y a trois bandits prêts
à kidnapper tous les animaux
de la forêt !

Sous leur casquette, les bandits
n'en font qu'à leur tête! Ils scient
les arbres à toute vitesse.

Les branches tombent, et Petit Koala
aussi. Il sanglote :

Au secours !

En voyant cette belle boule de fourrure,
les voleurs d'animaux ricanent :

Nous allons vendre
ta peau à prix d'or !

Lou hurle :

Petit Koala
ne finira pas
en manteau !

Tatie Ouistiti court à la clinique
pour appeler la police.
Il faut faire vite!

Les bandits viennent de jeter
Petit Koala dans un filet :

Te voilà
piégé !

Tout à coup, ça bondit dans les buissons.
C'est le kangourou soigné par Lou!
Aussitôt, bing, bang, paf! il donne de vifs
coups de poing aux bandits.

Assommés, ils tombent le derrière par terre! Tatie Ouistiti et Lou attachent les voleurs avec une grosse bande.

Allez zou, en prison, la police arrive!

Petit Koala est sauvé !

Lou le berce pour l'apaiser

et elle félicite le kangourou :

Bravo, champion de boxe !

27

Depuis, tatie Ouistiti a retrouvé un bel arbre pour Petit Koala. Et ce matin, quelle surprise : museau contre museau, deux koalas font la sieste dans les feuillages ! Lou chuchote comme pour dire un grand secret :

Petit Koala
est amoureux !

Lou te dit tout
sur le koala

Une poche pour berceau

Quand il nait, le bébé koala a la taille
d'une crevette. Comme le kangourou,
pendant ses 6 premiers mois, il grandit
dans la poche toute douce de sa maman.
Adulte, il pèsera entre 7 et 12 kilos.

Des feuilles d'eucalyptus, sinon rien

Le koala se nourrit uniquement des feuilles
très parfumées des eucalyptus, arbres qui
poussent par milliers en Australie. Chaque
jour, il déguste 500 grammes de feuillage.

De l'eau, non merci
Le koala ne boit pas une goutte d'eau.
Le jus contenu dans les feuilles qu'il mange
suffit à le désaltérer !

Le roi de la sieste et de la lenteur
Bien calé sur les branches, le koala dort
plus de 18 heures sur 24 ! Il s'active
surtout la nuit. Et il se déplace lentement,
un peu comme dans un film au ralenti.

Son pelage lui sert de doudoune
Sa fourrure très épaisse le protège
du froid et de la pluie. Voilà pourquoi,
le koala n'a pas besoin de se calfeutrer
dans un nid bien chaud pour dormir.

Bravo! Tu as lu un livre en entier !
Tu as aimé cette histoire ?
Retrouve Lou dans d'autres aventures !

premières lectures

N° éditeur : 10243223 – Dépôt légal : mars 2011
Achevé d'imprimer en janvier 2018 par Pollina - 83618
(85400 Luçon, Vendée, France)

MIXTE
Papier issu de
sources responsables
FSC® C022030